Corentin apprend à partager

Sandrine Lambert
Illustrations : Clara Suetens

CHANTECLER

Comme tous les mercredis, l'école avait fini à midi. Ce jour-là, cela tombait vraiment bien, car Corentin venait de recevoir une nouvelle petite voiture.

Il pouvait donc jouer tout l'après-midi avec son jouet. « Zoum zoum », la voiture fonçait à travers la pièce. Elle manqua même de renverser la belle plante !

La maman de Corentin entra à ce moment.

« J'ai une bonne nouvelle, dit-elle. La maman de Jules vient de téléphoner et elle a demandé si Jules pouvait venir jouer. Elle doit partir d'urgence. »

Corentin n'entendit pas ce que sa maman avait dit. Il avait construit une tour avec des cubes. Puis sa voiture arriva et… BOUM ! La tour s'écroula. Lorsque la sonnette retentit, il ne l'entendit pas non plus. Il était tellement heureux avec ses jouets !

Sa maman entra avec Jules. Corentin leva les yeux. Sa maman posa les mains sur les épaules de Jules. « Regarde, dit-elle, Corentin a une nouvelle voiture avec laquelle vous pouvez jouer tous les deux. »

« Non, non », pensait Corentin très fort, mais il ne dit rien car il savait que sa maman se fâcherait. Alors il prit rapidement une autre voiture et la donna à Jules.

Jules se retrouva donc avec une vieille voiture à laquelle il manquait même une roue…

Non, Jules ne voulait pas jouer avec cette affreuse voiture !

« Corentin, dit-il, je peux aussi jouer avec ta nouvelle voiture, ta maman l'a dit ! »

Mais Corentin la fit rouler sous l'armoire.

« Je n'ai pas du tout de nouvelle voiture »,

mentit-il.

La maman de Corentin avait entendu les petits lapins se chamailler.

« Corentin, c'est bête, tu sais, dit-elle. Vous pouvez tout de même jouer ensemble avec les cubes ou avec ton train électrique. »

« D'accord », répondit le petit lapin. Jules courut vers le train. Mais, oh là là, Corentin ressentait un étrange pincement au cœur…

Il ne voulait pas non plus que Jules joue avec son train.

Maman aperçut alors
le sac à dos de Jules et
elle eut une idée.

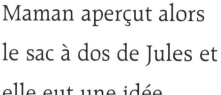

Elle le prit et vit que
Jules avait apporté sa
peluche et un beau
camion. Il avait l'air
neuf lui aussi.

Mais les yeux de Corentin brillaient.

« C'est vraiment un très beau camion »,

pensa-t-il.

« Jules, Corentin peut-il jouer avec ton camion ? »
demanda maman.

C'était maintenant Jules qui éprouvait un étrange
pincement au cœur.

Sa maman continua : « Si Jules peut jouer avec ta nouvelle voiture, tu peux jouer avec son camion. »

Jules regarda Corentin et Corentin regarda
Jules…

Jouer avec ce beau camion… voilà une idée qui plaisait à Corentin. Il donna donc sa nouvelle voiture à Jules.

Jules la fit rouler à toute vitesse dans la pièce !
Corentin chargea ses cubes dans le camion.

La maman de Corentin
sourit en les regardant.
Les deux petits amis
jouaient côte à côte,
allongés par terre.

La voiture roulait de gauche à droite…

de droite à gauche…

elle allait et venait.

On sonna alors à la porte. La maman de Jules
entra. Mais les petits lapins ne la virent pas…

« Jules, on rentre à la maison ? » demanda-t-elle.
Jules leva les yeux. « Non, c'est impossible,
répondit-il, Corentin veut encore jouer avec mon
camion et moi avec
sa voiture. »

« Ce sont déjà de grands lapins, dit la maman de Corentin, ils se prêtent leurs jouets sans se disputer. »

« Lorsque Jules reviendra, nous jouerons avec mon train électrique », dit Corentin.

« Corentin peut-il venir chez nous la semaine prochaine ? » demanda Jules.

Corentin était tellement heureux :
« C'est beaucoup plus amusant de
jouer ensemble ! »

Fin